KB075983

남킹의 문장 1 브런치 스토리

남킹

https://brunch.co.kr/@wonmar

소설가. 남킹 컬렉션 #001 - #444 출간을 목표로 합니다.

스페인 알리칸테 거주.

발 행 | 2023-12-14

저 자 | 남킹

펴낸이 | 한건희

펴낸곳 | 주식회사 부크크

출판사등록 | 2014.07.15(제2014-16호)

주 소 | 서울 금천구 가산디지털1로 119, A동 305호

전 화 | 1670 - 8316

이메일 | info@bookk.co.kr

ISBN | 979-11-410-5950-7

본 책은 브런치 POD 출판물입니다.

https://brunch.co.kr

www.bookk.co.kr

# 남킹의 문장 1
# 브런치 스토리

남킹

마르 데페스에게 이 책을 바칩니다.

남킹 컬렉션

# 남킹의 문장 #1

산마르는 인간의 집단적 광기에 기초한, 기계로 접목할 수 있는 모든 시멘틱 디코더(의미 해독기)를 거부하고, 초월로 향하는 단순한 삶을 지향하였다.

모리볼로가 인간 고통사의 굵은 상처를 새긴 자로 회자하는 것처럼, 그의 아버지는 인공 지능의 정신적 고양과 선한 지성을 주도한 인물로 널리 알려졌다.

남킹 문장들 #1

# 남킹의 문장 #2

전구가 없는 세상에 살았으면 얼마나 답답했을까 하고 안심을 하기도 했다.

번잡하고 무엇이든 깨고 다시 세우는, 그래서 늘 내 기억의 업데이트를 자극하는, 그런 세상에 파묻혀있다는 것은 어느 모로 보나 지극히 낭만적이라고 느꼈다.

**남킹 문장들 #2**

## 남킹의 문장 #3

## 남킹 문장들 #3

아무것도 없는 벽. 결국 모든 것은 아무것도 아닌 것. 이미 깨닫지 않았던가.

바람 속의 먼지인 것을. 아귀처럼 닦달하는 인간 군상이 측은하게 느껴졌다.

## 남킹의 문장 #4

## 남킹 문장들 #4

형사는 지친 기색이 역력하였다. 나는 숨을 얕게 쉬었다. 머릿속이 늪에 빠졌다.

삶을 이는 괴팍한 상상이 펼쳐진 대지에 홀로 선 나는, 이미 속단할 수밖에 없는 곳까지 와버렸다.

## 남킹의 문장 #5

여자와 사랑을 나누었고, 알 순 없지만, 그저 걸을 수 있는 길들이 여기 이렇게 펼쳐져 있지 않은가?

그나마 사람들이 말하는 그 정상궤도라는 것조차 온갖 탐욕과 사치를 향한 욕심에 불과한 건가? 음울한 허탈감이 짓누르고 있다.

남킹 문장들 #5

# 남킹의 문장 #6

nam king quotes

사방은 하얗고 단순하며, 초점을 맞추지 않은 시선은 구름처럼 몽환다웠다.

두꺼운 마음의 사슬이 진눈깨비처럼 무겁게 가라앉는다.

나는 이제 무척 많은 것을 듣고 말해야 한다. 그는 나를 그냥 놔주지 않을 것이다.

nam king quotes

남킹 컬렉션 #011

# 1월의 비

남킹 감성 소설집

# 거짓과 상상 혹은 죄와 벌

남킹 장편소설

남킹 컬렉션 #002

남킹의 문장 #7
nam king quotes

그들에게 입막음 돈을 안겼다.

빳빳한 현찰을 보고 있는 행복한 그들의 모습.

진화는 엉뚱한 방향으로 흐르기도 한다.

탐욕이 모든 가치를 덮어버리는 쪽으로.

nam king quotes

남킹 컬렉션 #001

# 그레고리 홀라디의 묘한 죽음

남킹 장편소설

# 꿈은 이루어진다

남킹 소설집

남킹 컬렉션 #007

남킹의 문장 #8
nam king quotes

바싹 메마른 향내가 기관지의 까슬한 목구멍을 건드리며 지나갔다.

사회는 위법자들을 요구한다.

독소를 이용하여 자신의 항체를 키운다.

나는 결국 바이러스의 운명을 타고난 거다.

nam king quotes

# 리셋

## Reset

남킹 SF 소설집

남킹 컬렉션 #010

남킹 컬렉션 #004

# 심해

## deep ocean

남킹 SF 장편소설

# 남킹의 문장 #9

nam king quotes

나는 할 이야기가 별로 없었다.

나는 그저 찰나처럼 지나가는 몸짓, 행동, 형상, 분위기, 착시 등에 더 관심을 가진다.

nam king quotes

소설집

납킹 컬렉션 #007

# 파벨 예언서

## 떠오르는 위협

**남킹 장편소설**

남킹 컬렉션 #008

NAM KING
BEST NOVELIST

# 남킹의 문장 #10

nam king quotes

폐허 속에 살아가는 어린 소녀들은 절망의 그물에 갇혀 있는 존재였다.

그들의 눈동자에는 미래가 없는 어두운 그림자만 서려 있다.

그들은 학교가 아닌 길거리에서 자라, 살기 위해 내 앞에서 사타구니를 벌렸다.

nam king quotes

남킹 컬렉션 #001
그레고리 홀라다의
묘한 죽음
남킹 장편소설

남킹 컬렉션 #003

# 신의 땅 불의 꽃

남킹 판타지 SF

NAM KING
WORLD BEST
WRITER

# 남킹의 문장 #11

nam king quotes

그들의 눈동자는 나와 닮았다.

비현실적이고 무감각한 세상 속에, 냉혹함과 비참함이 비친다.

순간의 비통은 온몸을 감싸고, 그 어린 몸은 저주받은 고통의 쇄도에 휩싸인다.

시간은 멈추고, 공기는 침묵으로 무거워지며, 우주는 그 비참한 장면을 영원히 검은색으로 칠한다.

우리는 전쟁의 무자비한 태양 아래서 썩어가고, 존재는 순간적인 반짝임처럼 사라진다.

전쟁은 원래 비참하다. 그리고 전쟁은 항상 비참하다.

nam king quotes

# 리셋

Reset

남킹 SF 소설집

남킹 컬렉션 #010

남킹 컬렉션 #004
심해
deep ocean
남킹 SF 장편소설

COLLECTION #001 - #444

2023

# 남킹의 문장 #12

nam king quotes

부대 근처에는 항상 작은 마을이 만들어졌다.

그곳은 우리의 안식처이자 환락의 오아시스였다.

그 작고 아늑한 집들은 항상 붉고 푸른 네온사인으로 마을을 환하게 밝혔다.

창살로 된 창문 너머로는 쾌락과 욕망이 스며들었고, 마당은 언제나 정액 냄새 가득한 걸레들로 가득했다.

nam king quotes

컬렉션 #003
소설

남킹 컬렉션 #004

# 심해

## deep ocean

남킹 SF 장편소설

NAM KING

COLLECTION #001 - #444

# 남킹의 문장 #13

Nam King Quote

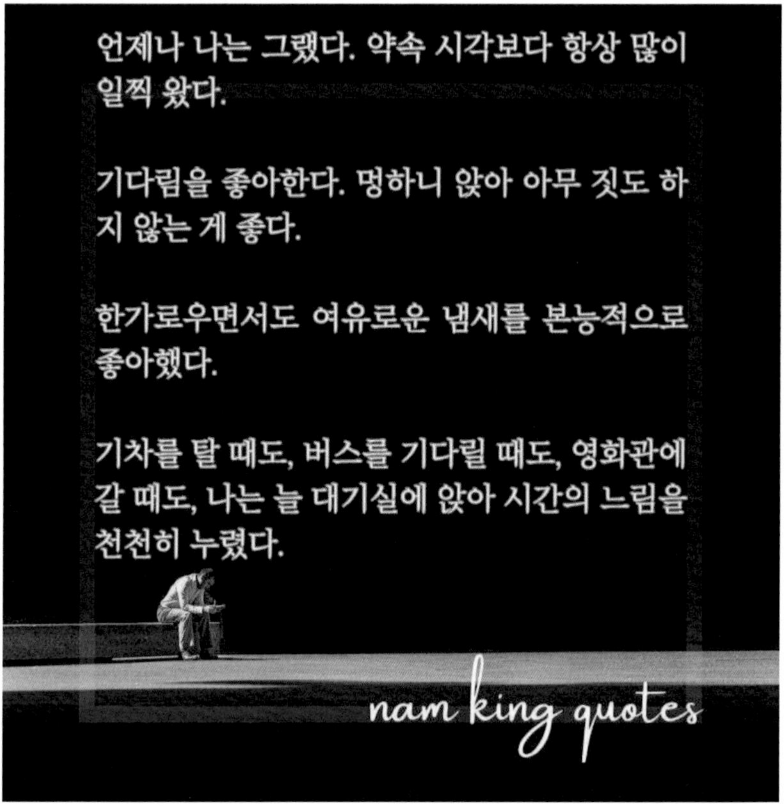

언제나 나는 그랬다. 약속 시각보다 항상 많이 일찍 왔다.

기다림을 좋아한다. 멍하니 앉아 아무 것도 하지 않는 게 좋다.

한가로우면서도 여유로운 냄새를 본능적으로 좋아했다.

기차를 탈 때도, 버스를 기다릴 때도, 영화관에 갈 때도, 나는 늘 대기실에 앉아 시간의 느림을 천천히 누렸다.

nam king quotes

남킹 판타지 소설집

# 하니은 매화

남킹 컬렉션 #015

남킹 컬렉션 #003

# 신의 땅 물의 꽃

남킹 판타지 SF

남킹 장편소설

NOVELIST

NAM KING

# 남킹의 문장 #14

Nam King Quotes

나는 마치 폐가처럼 낡고 병든 집을 낯선 방문객처럼 한동안 천천히 쳐다봤다.

내 속의 어두운 곳에서부터 부추기고 꿈틀거리며 기어이 끓어오르려 하는 고통의 자국들은, 마치 박물관처럼 이곳에 나열되어있다.

가난, 폭력, 쾌락, 눈물, 배반, 몽상, 나태, 죽음이 침범할 수 없는 상태로 가득 쌓여 있다. 별 통증 없이 되씹을 수 있는 어제를, 이 집에서는 단 하루도 용납하지 않는다.

nam king quotes

남킹 컬렉션 #013

# 남킹의 문장 2

언어의 마법사 남킹의 문장들

# 거짓과 상상 혹은 죄와 벌

남킹 장편소설

남킹 컬렉션 #002

NAM KING

# 남킹의 문장 #15

Nam King Quotes

나는 삐꺽거리는 창문을 힘들게 열어젖혔다.
창문 틈에 새까맣게 더께가 앉아 있다.

어른거리는 불빛 사이로, 낮은 담벼락에 붙은
까막까치밥나무가 힘겹게 바람에 한들거린다.
채소밭 한 뙈기가 흐린 불빛에 누워 있다.

구석에는 앙상한 과실수, 잡초와 퇴비 더미, 부
엽토 통들이 뒹굴고 있다. 엄마가 떠나고 방치
된 곳. 한순간에 씁쓸하고 고약한 생각들과 어
설픈 회고가 뒤엉켜 올라온다. 나는 크게 한숨
을 쉬고 창을 닫았다.

남킹 컬렉션 #004

# 심해

*deep ocean*

남킹 SF 장편소설

남킹 컬렉션 #001

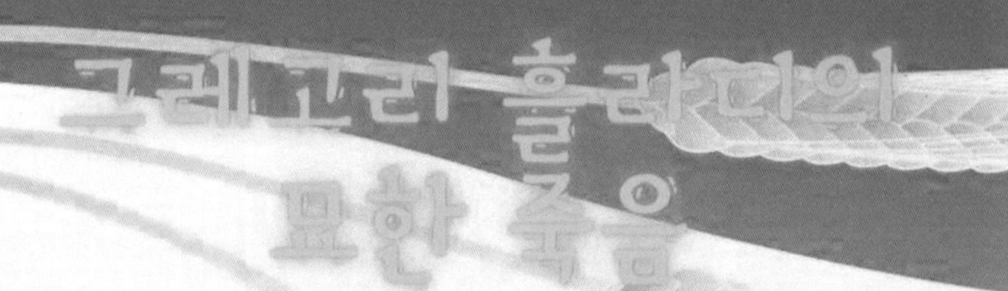


남킹 장편소설

# 남킹의 문장 #16

Nam King Quotes

바람은 높은 나무 끝에서 살랑거렸습니다.
아직 쌀쌀한 아침. 안개비. 저는 곁가지 오솔길로 굳은 발을 뗐습니다. 구부정한 소나무 사이로 흐린 그림자가 서글프게 뒷걸음칩니다.

당신을 찾아 헤맨 혼란이 점점 또렷이 눈앞에 파고를 만듭니다. 살짝 주름진 입가의 미소로 고개를 돌리지만 결국 다갈색 뺨에 난 두 줄기 자국.

당신은 내게 차가우면서도 따스하고 까끌까끌하면서도 부드러웠습니다. 붉은 그리움이 자꾸 눈을 물들입니다.

nam king quotes

남킹 판타지 소설집

# 하니은 매화

남킹 컬렉션 #015

# 파벨 예언서

## 떠오르는 위협

남킹 장편소설

남킹 컬렉션 #008

NAM KING
NOVELIST

# 남킹의 문장 #17

Nam King Quotes

구름이 머문 낮은 속삭임의 하늘. 당신의 이마를 덮은 수국처럼 빨갛게 핀 여드름. 눈은 어느새 축축한 자국이 말랐습니다.

나의 고백은 지나치게 소심하였습니다. 아픔의 기슭 사이를 허우적거리는 영혼. 모든 사랑은 아무래도 너무 짧습니다. 긴 그리움은 매번 비로 내립니다. 저는 그냥 갈색 가을을 받아들입니다.

nam king quotes

# 리셋

## Reset

남킹 SF 소설집

남킹 컬렉션 #010

남킹 컬렉션 #017

# 스네이크 아일랜드

## 1권

## 죽고싶지만 복수는 하고 싶어

남킹 판타지 스릴러

남킹 컬렉션 #003

# 신의 땅 물의 꽃

남킹 판타지 SF

남킹 장편소설

LightX

# 남킹의 문장 #18

Nam King Quotes

우산을 펼쳐 듭니다. 머리 위에서 톡톡 하는 소리가 정겹습니다. 마치 무언가가 고요함에서 튕겨 나오는 듯합니다. 투명한 바람이 이어졌다 사라집니다. 성긴 천으로 된 옷이 펄럭이면 당신은 안경 너머 긴 눈썹을 끔뻑이며 나를 지긋이 쳐다보곤 하였습니다.

당신의 따스함을 애써 되새김질하려고 추억의 단편들을 흐린 도시에 그려봅니다. 저의 밋밋한 하루에 감초 같았던 당신. 눈에 뵈진 사랑은 푸르게 상처 난 좁은 거리 속으로 가뭇없이 사라지고 적막하기 그지없지만, 미련하게 꾹 끌어안고 당신의 볼을 타고 하염없이 흘러내리는 빗물을 훔치려고만 애를 씁니다.

nam king quotes

남킹 컬렉션 #001

# 그레고리 홀라디의 묘한 죽음

남킹 장편소설

# 거짓과 상상 혹은 죄와 벌

남킹 장편소설

남킹 컬렉션 #002

Nam King
WORLD BEST WRITER

# 남킹의 문장 #19

Namking Quotes

다시 공항을 찾았습니다. 그날처럼, 빗방울이 창에 톡톡 부딪히며 빠르게 흘러내립니다. 마른 이파리 하나가 유리에 앙상하게 붙어있다가 사라지고, 물방울이 맺힌 창으로 서글픈 그리움이 반사됩니다.

검은 바탕에 짙은 황갈색의 얼굴. 굳게 다문 입술과 우수에 찬 표정. 후들거리는 마음으로 저는 옅은 미소를 담은 채 당신을 보냈습니다. 그러므로 회연의 아련함이 가득한 하루는 후회를 찬찬히 시작해도 됩니다.

저는 웃매무시를 다지고 거리로 나섭니다. 한 줄기 바람이 첨예하게 살 속을 찌릅니다. 세상에서 가장 외롭고 추레한 모습. 이마와 얼굴, 어깨에 쏟아지는 빗물은 차가웠지만, 그냥 따스하다고 위로합니다. 그날처럼.

nam king quotes

남킹 컬렉션 #013

# 남킹의 문장 2

언어의 마.법사 남킹의 문장들

# 리셋

Reset

남킹 SF 소설집

남킹 컬렉션 #010

# 남킹의 문장 #20

Nam King Quotes

눈꺼풀이 무거워도 닫지를 못합니다. 닫히면 시린 당신. 행간마다 흘러내리는 빗물에도 어려있고 조춤조춤 머문 별빛에도 묻어있습니다. 당신이 새긴 아픔. 유폐한 기억을 애써 묻으려 흙을 덮어보지만 한 줄기 빛이 없어도 새록새록 싹을 틔우고 거스러미처럼 까칠하게 살갗에 달라붙어 뭉툭한 모서리에 비벼도 보지만 가라지지 않는 끌림.

목어 소리 맞춰 억지로 눈 돌려 흥얼거리기도 합니다. 하지만 웅크린 당신의 눈물만 쓸쓸하게
자몽 같은 노을빛 속으로 말라갑니다. 아득하게
또 듣게 됩니다. 그날 그 언어

nam king quotes

남킹 컬렉션 #001

# 그레고리 홀라디의 묘한 죽음

남킹 장편소설

남킹 컬렉션 #003

# 신의 땅 불의 꽃

남킹 판타지 SF

남킹 장편소설

# 남킹의 문장 #21

Nam King Quotes

불연속적으로 비가 흩날립니다. 헐렁한 파란 바지는 부품 해진 슬픈 물방울을 털려는 듯 버둥거리고, 내딛는 걸음은 발치에 쌓이는 미련을 떨쳐내지 못합니다.

당신의 젖은 속눈썹. 그러니 코끝이 시립니다. 떨어진 그리움은 바스락거리며 옆구리 어디쯤 쭈그리고 앉아 내 속의 당신에게 닿을락 말락.

저는 아직 당신을 보낼 수 없습니다. 비는 아직 그칠 줄 모릅니다. 혓바닥이 버썩거립니다.

nam king quotes

남킹 컬렉션 #012

# 남킹의 문장 1

언어의 마법사 남킹의 문장들

남킹 컬렉션 #003
신의 땅
불의 꽃
남킹 판타지 SF
남킹 장편소설

# 남킹의 문장 #22

Nam King Quotes

하늘을 적신 물이 텅 빈 거리를 푸른 물무늬로 띄웁니다. 미세해진 바람은 당신의 순일한 마음. 연하게 내 살갗에 와서 내 속의 핏기 없는 쇠잔한 그리움을 아늑한 노랑으로 물들이고, 차갑게 굳어진 기억 사이 미세한 빗살로 가팔라지는 해거름이 서럽게 넘어오면, 그러므로 하루만큼 더 멀어진 당신으로 나는 미욱하게도 보라색 설움에 바늘잎 나무숲에서 아슴푸레 떨어지는 막연한 눈물 속으로 웅크리거나 허우적거리는 비틀걸음으로 옹색한 문장을 읊조립니다.

하지만 내게, 다른 색은 없습니다. 더 깊어진 당신의 채도만 유효합니다.

nam king quotes

# 리셋

# Reset

남킹 SF 소설집

남킹 컬렉션 #010

# 파벨 예언서

## 떠오르는 위협

남킹 장편소설

남킹 컬렉션 #008

# 남킹의 문장 #23

Nam King Quotes

늘 그렇듯 따스함이 먼저 옵니다. 그러면 응결되었던 갈망이 해동하고요. 코끝은 여전히 시리지만 내 시간의 큰 뭉치는 온전히 당신의 가슴 속 벚으로 물들어갑니다. 언제나 따스함을 따라 향긋함이 경화역에 도착합니다.

눈이 시리게 푸른 하늘 아래 내 앞에 흐드러지게 펼쳐진 당신의 착한 마음은 미세하고도 온전한 꽃잎의 떨림으로 속절없이 당신에게로 향한 끌림이 됩니다. 향긋함은 늘 가지를 가볍게 톡톡 흔듭니다. 벚으로 도취한 저는 눈처럼 흩기고 간 기억 자락을 주워듭니다.

nam king quotes

남킹 컬렉션 #003

# 신의 땅 물의 꽃

남킹 판타지 SF

**남킹 장편소설**

남킹 판타지 소설집

# 하니은 매화

남킹 컬렉션 #015

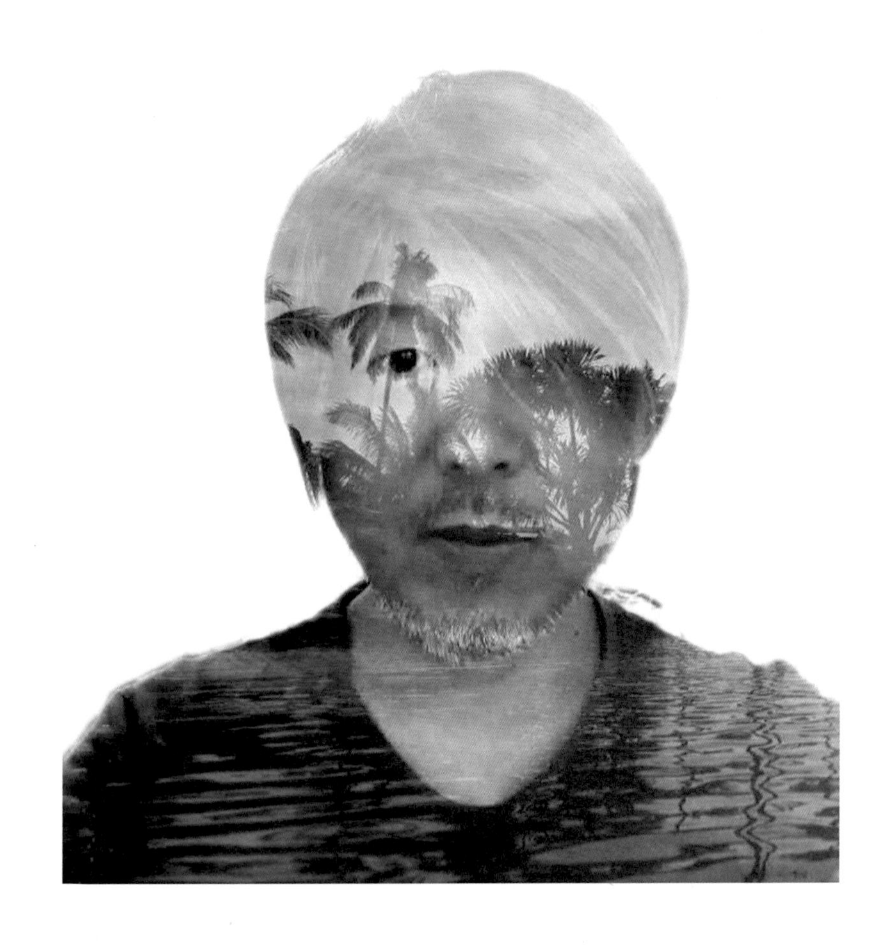

# 남킹의 문장 #24

Nam King Quotes

”

엳은 분홍빛 살결, 뜨거워지는 입김, 황홀한 삶의 기쁨. 시간은 멈추었고 세상은 조용히 숨죽입니다. 내가 그리워하는 당신의 모습은 단 하나의 느낌으로 공간을 부유하는 햇살 속의 꽃잎. 내 안의 벚으로 간직합니다.

늘 그렇듯 내 안의 벚이 지면, 어스름한 달빛과 가로수가 흐릿하게 철길을 내어주던 곳. 세찬 바람이 내 추억의 가지를, 당신은 조각조각 아픔이 되어 후두두 떨어집니다. 고사리 같은 손을 창턱에 괴고는 끝없이 당신을 바라봅니다. 당신에게 저는 그저 속수무책입니다.

nam king quotes

남킹 컬렉션 #003

# 신의 땅 불의 꽃

남킹 판타지

**남킹 장편소설**

# 거짓과 상상 혹은 죄와 벌

남킹 장편소설

남킹 컬렉션 #002

Nam
King
Collection
#001 ~ #444

남킹의 문장 #25
Nam King Quotes

”

바람이 붑니다. 그리고 비가 내립니다. 내 속 텅 빈 풍경 속으로 당신이 젖습니다. 나만 혼자 품은 헛된 바램. 행여 당신 맘 내릴까 봐 내가 어쩔 수 없는 걱정들. 당신의 정류장에 머문 우산. 창밖으로 흔적뿐인 바람이 붑니다.

당신, 근심은 날리고 이 맘만 소복이 담아 당신이 쉴 곳에 서성이는 바람으로 남겠습니다. 그리고 비로 내리겠습니다. 하늘이 글썽이던 눈물. 아름다워서 슬프기 때문입니다.

nam king quotes

남킹 컬렉션 #011

# 1월의 비

남킹 감성 소설집

# 거짓과 상상 혹은 죄와 벌

남킹 장편소설

남킹 컬렉션 #002

남킹 컬렉션 #001

# 그레고리 홀라디의
# 묘한 죽음

남킹 장편소설

# 남킹의 문장 #26

Nam King Quotes

늘 그런 것은 아닙니다. 그냥 하루의 일이 끝나고 심통한 열차를 타고 낮고 쓸쓸한 집으로 가는 길. 창은 비에 젖고 그 너머 강은 흐리게 물들고 덜컹거리는 심장 소리도 무심하게 이어폰은 슬픈 곡을 매달아 아프게 속삭입니다.

단 하나의 그리움만, 그러면 늘 그런 것은 아니지만 그냥 다독거립니다. 울지 않겠다고.

nam king quotes

# 꿈은 이루어진다

남킹 소설집

남킹 컬렉션 #007

남킹 컬렉션 #012

# 남킹의 문장 1

언어의 마법사 남킹의 문장들

NAM KING COLLECTION #009

# NAM KING FLASH FICTION

NAM KING

# 남킹의 문장 #27

Nam King Quotes

우리가 무의미함을 깨닫는 순간, 비로소 나 자신이 원하는 삶을 탐구하기 위한 첫발을 떼는 거야.

그러니 그냥 내버려 두기 바래.

nam king quotes

리셋
Reset
남킹 SF 소설집
남킹 컬렉션

# 스네이크 아일랜드

## 1권

## 죽고싶지만 복수는 하고 싶어

남킹 판타지 스릴러

남킹 컬렉션 #003

# 신의 땅 물의 꽃

남킹 판타지 SF

남킹 장편소설

남킹의 문장 #28
Nam King Quotes

그녀의 문장구조는 형편없기 짝이 없었지만 제 뜻만은 비교적 정확하게 전달하였다. 그녀는 상대방의 뜻을 정확히 알아듣지는 못하였지만, 온몸의 촉각을 동원하여 이해하려고 부단히 애썼으며 그러한 일련의 과정들이 묘하게도 나에게는 사랑스럽게 느껴졌다.

마치 세상의 허망함에 일찍 눈 뜬 조울증 환자처럼 무채색으로 숨 쉬던 나에게, 그녀는 내일이 사형 집행일임에도 여전히 삶을 꿈꾸는 사형수처럼 보였다.

nam king quotes

남킹 컬렉션 #018
천일의 여황제
세빈의 남자
남킹 판타지 소설

# 파벨 예언서

## 떠오르는 위협

남킹 장편소설

남킹 컬렉션 #008

남킹의 문장 #29
Nam King Quotes

”

제임스의 입에서는 삶의 희열이 터져 나왔다. 그의 모든 세포 하나하나가 기쁨을 노래했다. 지나간 모든 고통과 외로움이 한꺼번에 보상받는 느낌이었다. 그는 비로소 세상의 한가운데, 주인공으로 우뚝 선, 자존감을 한껏 내뿜는 수컷 사자로 돌아왔다.

nam king quotes

남킹 판타지 소설집

# 하니은 매화

남킹 컬렉션 #015

남킹 컬렉션 #011
1월의 비
남킹 감성 소설집

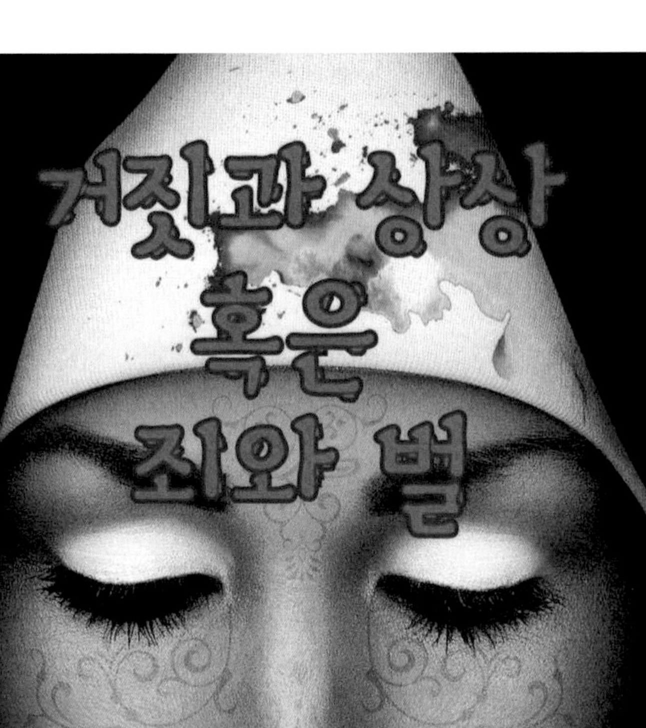
거짓과 상상
혹은
죄와 벌
남킹 장편소설
남킹 컬렉션 #002

# 남킹의 문장 #30

Nam King Quotes

”

인류의 역사는 전쟁의 기록과 맥을 같이한다. 동족을 죽이는 행위는, 이 고등한 동물이 지구에서 행한 수많은 악행 중에 단연 독보적이다. 그로 인한 이차적 피해 - 환경오염 및 각종 생물의 멸종 등 - 는 차치하고서 말이다.

nam king quotes

# 꿈은 이루어진다

낭킹 소설집

낭킹 컬렉션 #007

남킹 컬렉션 # 013
남킹의 문장 2
언어의 마법사 남킹의 문장들

NAM KING COLLECTION #009

# NAM KING FLASH FICTION

NAM KING

# 남킹의 문장 #31

Nam King Quotes

”

그는 그러한 과학이 낳은 최고의 작품이다. 인간 게놈 서열분석이 완벽히 이루어졌다. 인공 장기의 재료, 구동장치, 에너지원, 계측, 제어 기술이 놀랍도록 정밀해졌다. 새로운 3차원 배양 접시 기술로 만들어진 자가 조립 미세 조직이 개발되었다. 그리고 인간 신체에서 추출한 줄기세포는 성장 인자를 투여받고, 그의 본래 기관의 플라스틱 복제품에서 완벽하게 배양되었다.

nam king quotes

남킹 판타지 소설집

# 하니은 매화

남킹 컬렉션 #015

# 파벨 예언서

## 떠오르는 위협

남킹 장편소설

남킹 컬렉션 #008

## 남킹의 문장 #32

Nam King Quotes

”

몸을 어르는 즐거움.

그녀의 입술에 그의 손끝을 대어 본다. 부드러운 감촉 위에 콧바람이 머문다. 새큰거리는 여자의 다문 입술이 십 대 소녀처럼 보였다. 둥글고 짙은 눈에 붙은 무거운 눈썹. 그녀는 살짝 눈을 흘기며 부드러운 미소를 지었다. 그녀의 미간. 웃음이 만드는 합죽한 모습. 그런 찰나의 순간은 언제나 내밀한 그들만의 사랑이었다.

nam king quotes

남킹 컬렉션 #004

# 심해

*deep ocean*

남킹 SF 장편소설

# 리셋

## Reset

남[illegible] SF 소설집

남킹 컬렉션 #010

# 남킹의 문장 #33

Nam King Quotes

윤곽이 도드라진 곳에 그녀의 연분홍빛 젖꼭지가 달랑거렸다. 그는 주체할 수 없는 욕망을 느끼며 말랑한 가슴을 만졌다. 그리고는 그녀의 불룩한 허리를 천천히 쓰다듬었다. 미세한 움직임. 그는 보름달처럼 부푼 제냐의 배에서 생명의 신비로움을 느꼈다. 눈으로 다시 보고 귀를 갖다 댔다. 규칙적인 심장 소리가 들려오는 듯하였다.

그는 점점 달아오르는 자신을 느꼈다. 숨을 쉴 때마다 뜨거운 김이 목을 태우는 듯하였다. 그는 이윽고 침을 한번 꿀꺽 삼키고는 확신에 찬 어조로 그녀에게 속삭였다.

nam king quotes

남킹 컬렉션 #011

# 1월의 비

남킹 감성 소설집

남킹 판타지 소설집

# 하니은 매화

남킹 컬렉션 #015

# 남킹의 문장 #34

Nam King Quotes

”

모니터에는, 죽어가는 인간을 형체도 없이 갈가리 찢어버리는, 포격이 생생하게 잡혔다. 뼈대만 남은 앙상한 빌딩이 쓰러질 듯 늘어섰다. 도시는 참혹하게 비었다. 정지한 세상. 육중한 기계 무리가 꼼지락거린다. 그들은 살아 있는 모든 것을 파괴한다.

지구. 푸른 행성. 하지만 지금 그곳은 더 이상 생명이 살 수 없는 검은 심연. 어비스라고 부른다.

그러나 모든 삶은 사라진 곳에서 다시 시작한다.

nam king quotes

남킹 컬렉션 #001

# 그레고리 홀라피의 묘한 죽음

남킹 장편소설

남킹 컬렉션 #004
심해
deep ocean
남킹 SF 장편소설

# 남킹의 문장 #35

Nam King Quotes

비극의 실마리는 핵폭탄 개발이었다. 인간 자신을 스스로 파멸로 인도할 이 무기는 이후 모든 나라가 탐하는 최고 가치의 물건이 되었다. 인간이 땅끝까지 지배하는 세상은 그야말로 야생이었다. 힘 있는 자가 모든 것을 지배하는 것이다. 그 무한한 지배욕을 성취하기 위한 대량 파괴 무기는 이제 지구를 수십 번 산산조각 내고도 남을 정도로 커졌다.

nam king quotes

# 거짓과 상상 혹은 죄와 벌

남킹 장편소설

남킹 컬렉션 #002

남킹 컬렉션 #018
천일의 여황제
세빈의 남자
남킹 판타지 소설

# 남킹의 문장 #36

Nam King Quotes

”

키가 크고 금발에 푸른 눈, 투명에 가까운 눈빛을 한 여자가 보입니다. 늘 가시투성이의 삶이지만 집착은 생명을 불어넣고 본능은 한 곳을 향해 나아갑니다. 그녀는 구원자의 귀와 눈이 되어 그가 디딜 곳의 평지를 선사합니다.

nam king quotes

# 거짓과 상상 혹은 죄와 벌

남킹 장편소설

남킹 컬렉션 #002

남킹 컬렉션 #017

# 스네이크 아일랜드

1권

죽고싶지만 복수는 하고 싶어

남킹 판타지 스릴러

# 남킹의 문장 #37

Nam King Quotes

”

내 앞에는 그림자 하나 없이, 물체 하나하나, 모서리 하나하나, 모든 곡선이 눈이 아플 정도로 뚜렷이 두드러져 보인다. 그들은 광채 없는 빛을 발하고, 그녀는 잿빛으로 변했다.

nam king quotes

리셋
Reset
SF 소설집
남킹 컬렉션 #010

# 남킹의 문장 #38

Nam King Quotes

”

알리나(Alina)는 눈 위로 머리카락이 흘러내린 채 누워 있다. 관자놀이에 멍 자국이 선명하다. 입가에는 거품 자국도 보인다. 그녀는, 기름을 반지르르하게 바른, 에나멜 구두를 신었고 야들한 블라우스를 입었다. 밀짚모자로 검게 변색한 가슴 핏자국을 가렸다. 잘린 허리는 장의사가 몹시 거칠게 이어 붙였다. 그리고 너덜너덜한 다리는 낡은 숄로 가렸다.

nam king quotes

남킹 컬렉션 #003

# 신의 땅 불의 꽃

남킹 장편소설

남킹 컬렉션 #001

# 남킹의 문장 #39

Nam King Quotes

”

깊은 곳에서 전율처럼 그리움이 감싼다.

삶은 고통이다. 죽으면 고통도 사라진다. 그나마 그게 위안이다. 나는 애써 감정을 숨긴 채, 무심한 듯, 관을 빙 둘러싼 사람들을 훑어본다. 아무도 나를 모른다는 사실에 편안함을 느낀다.

nam king quotes

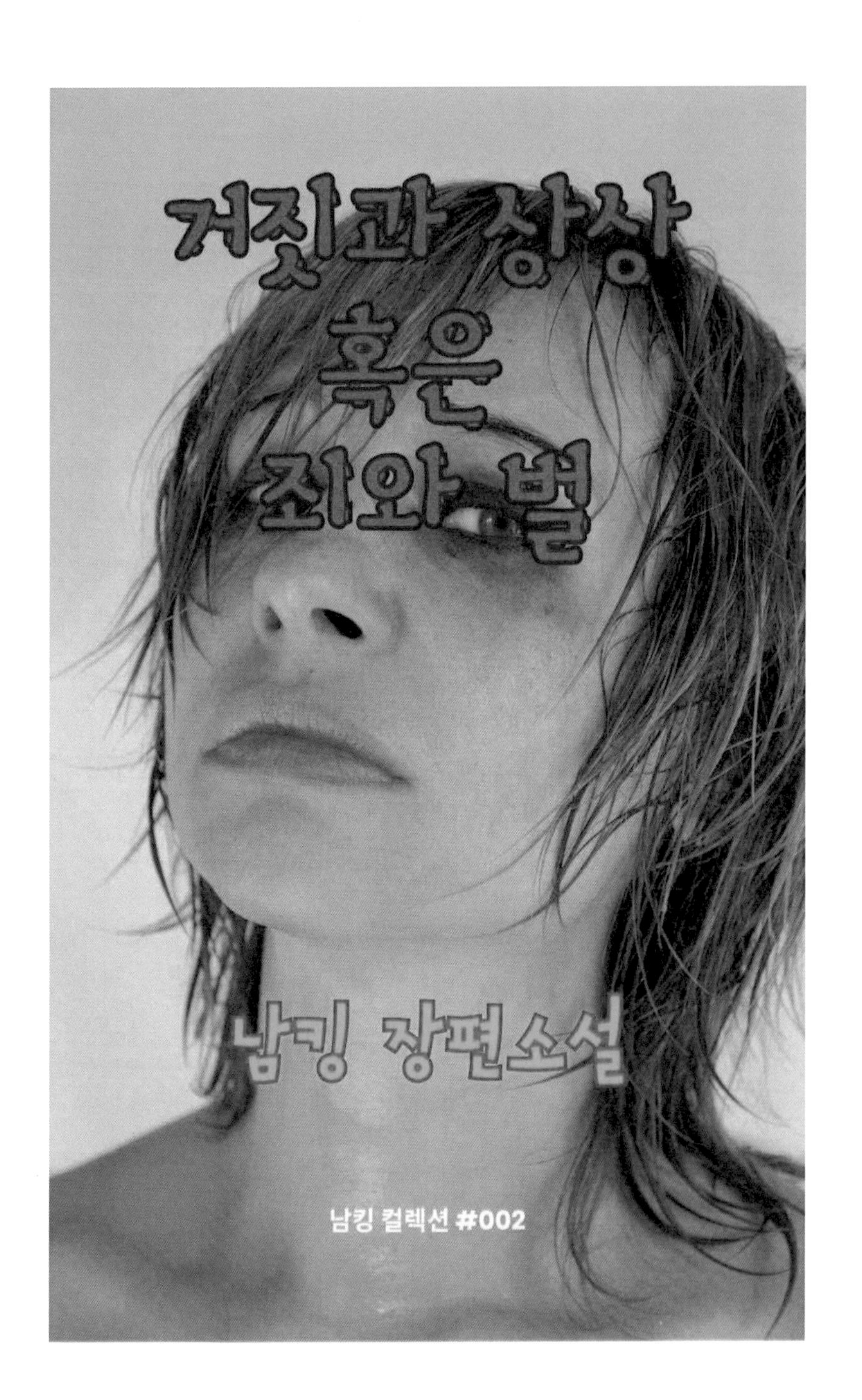
거짓과 상상
혹은
죄와 벌
남킹 장편소설
남킹 컬렉션 #002

# 사랑 그 쓸쓸함에 대하여

남킹 음악산문

남킹 컬렉션 #021

# 남킹의 문장 #40

Nam King Quotes

죽음이 이제 늘 가까이에 머문다. 이제 일상이 되었다. 이러한 사실은 미래에 대한 우리의 기대를 지극히 가벼운 삶으로 바꾸어 버린다. 살고자 하는 욕망. 그것뿐이다.

nam king quotes

# 파벨 예언서

## 떠오르는 위협

남킹 장편소설

남킹 컬렉션 #008

# 남킹의 문장 #41

Nam King Quotes

99

그녀의 방은, 폐허의 도시에서 제법 떨어진, 변두리 주요 도로에 닿아있다. 혼탁하고 헛된 소음이 늘 떠다녔다. 대형 전투용 드론과 장갑차들의 진동이 그녀의 거친 심장 소리만큼 몸 전신에 파고들었다. 대문과 벽에는 다양한 색상의 래커칠이 어지럽게 널려있다. 작은 뜰에는, 뱃머리의 조각처럼, 비바람에 젖은 낡은 옷가지들이 쌓여있었다. 마치 그녀를 둘러싼 이 모든 사건이 일어나고 가라앉고 변색하는 것처럼.

nam king quotes

NAM KING COLLECTION #009

# NAM KING FLASH FICTION

# 리셋

Reset

남킹 SF 소설집

남킹 컬렉션 #010

## 남킹의 문장 #42

Nam King Quotes

99

나는, 칸살이 붙은, 그녀의 작은 침대 벽에 몸을 기대어, 햇볕에 그은 색상이 그려낸 창을 바라보곤 하였다. 나의 눈은 일련의 순간을 포착하는 방법으로 채워졌다. 비둘기색 커튼은 늘 축 처져있었다. 금작화 나무가 앙상하게 죽었다. 마른 가지에는 찢어진 깃발이 펄럭였다. 그리고 멍한 눈동자는 아무것도 없음이 된다. 그럴 때면, 나는, 언제나 그렇듯, 과거, 현재, 미래가 혼재하는 고질적인 환상에 사로잡히곤 하였다. 특히, 그녀에 대하여. 그녀는 모든 것을 씹듯이 저미며 진솔함으로 다가서지만 늘 일정한 거리에서 머물렀다. 나는 흐릿하게 절단되어 그녀의 주변에서 서성거렸다. 이런 느낌은, 드러나지 않고 내밀하게 색조들이 결탁한 끌림을 주어, 시선을 고정하였다. 늘 그녀를 향했다.

nam king quotes

남킹 컬렉션 #017

# 스네이크 아일랜드

1권

죽고싶지만 복수는 하고 싶어

남킹 판타지 스릴러

남킹 컬렉션 #019

남킹 장편소설

# 남킹의 문장 #43

Nam King Quotes

99

그녀를 만나기 직전, 나는 우크라이나의 수도에 도착했다. 겨울의 끝자락이었다. 나는 여러 가지 직업을 전전했지만, 조리사는 처음이었다. 그래서 활기도 없고 확신도 없었다. 나는 그저 이방인의 도시에 살기를 원했다. 잘게 썬 고독이 박힌 거리를 걷고 싶었다. 사교나 형식, 관습과 규율의 번거로움에서 벗어나고 싶었다. 그냥 자유로운 번뇌 속에서 허우적거렸다.

nam king quotes

남킹 컬렉션 #013

# 남킹의 문장 2

언어의 마법사 남킹의 문장들

남킹 컬렉션 #018
천일의 여황제
세빈의 남자
남킹 판타지 소설

# 남킹의 문장 #44

Nam King Quotes

”

한없이 맴돌아 나가는 사소한 갈등과 절대로
떨쳐버리지 못하는 간결한 끌림과 반항을 애써
무시해버리는 현대인이면 의당 겪는 부조리는,
내가 그녀의 혀를 핥는 순간 말끔히 사라졌다.
신기하였다. 나는 이것을 사랑이라고 정의했다.

nam king quotes

남킹 판타지 소설집

# 하니은 매화

남킹 컬렉션 #015

남킹 컬렉션 #004

# 심해

*deep ocean*

남킹 SF 장편소설

## 남킹의 문장 #45

Nam King Quotes

99

2002년에 시작된 작은 기적이 2022년에 비로소 완성된 것이라고. 그리고 나는 그 중심에 서 있다. 누구도 몰랐던 이름 박칠규. 이제 누구나 알게 된 이름으로 바뀌었다. 누군가는 신이 내린 재능이라고 감탄하였고 어떤 이는 악마적 기교라고 시샘하였다. 하지만 나는 여전히 경기장에 서면, 작고 깡마르고 불안에 떠는 여린 축구선수일 뿐이다.

nam king quotes

남킹 컬렉션 #011
1월의 비
남킹 감성 소설집

꿈은
이루어진다

남킹 소설집

남킹 컬렉션 #007

# 남킹의 문장 #46

Nam King Quotes

”

우리 사장은 주로 접대하는 쪽이었는데 그 대상은 면면이 실로 다양하기 짝이 없었다. 그중에는 TV 토론 같은 데 심각한 표정으로 가끔 등장하는 띵띵한 국회의원도 있었고, 서슬 퍼런 눈동자를 삐딱하게 치켜세우고는 아무한테나 반말을 찍찍하는 검사 녀석도 있었다. 특히, 이 녀석은 많아 봐야 사십 초반인데 백발이 성성한 우리 사장을 마치 자기 집 똥개 취급하였다.

기분 나쁘면 쌍욕 종합세트를 사장 앞에서 날리곤 하였다. 그런데도 뭐가 좋은지 우리 사장은 그냥 굽신거리며 접대를 하였다. 그런 모습을 볼 때마다 나는 속으로 '너나 나나 인생 불쌍하기는 매한가지다'라고 혀를 차며 그나마 약간의 위안을 받곤 하였다.

nam king quotes

# 파벨 예언서

## 떠오르는 위협

남킹 장편소설

남킹 컬렉션 #008

심해
남킹 SF 장편소설

# 남킹의 문장 #47

Nam King Quotes

”

나는 그 순간, 그녀의 진한 화장품 향기와 구수한 커피 향 그리고 몰랑한 손의 감촉에 그만 취하고 말았다. 한마디로 이성이 마비된 거였다. 그녀의 덜렁거리는 오른쪽 속눈썹만 빼고 말이다.

nam king quotes

사랑 그 쓸쓸함
에 대하여
남킹 음악산문
남킹 컬렉션 #021

리셋
Reset
남킹 SF 소설집
남킹 컬렉션 #010

남킹의 문장 #48
Nam King Quotes

”

아파트 지하 주차장에 차를 세우고 엘리베이터를 탈 때까지만 해도 나의 결심은 굳건하였다. 그런데 집에 가까이 다가갈수록 나는 자신이 처한 현실의 늪에 흔들리기 시작하였다. 백도 없고 학벌도 달리고 가진 것이라고는 달랑 작은 몸뚱이 하나뿐인 내가, 객지에 홀로 나와 여러 직업을 전전하다 겨우 얻은 만족스러운 직장인데, 저런 싹수없는 년 때문에 사장 눈 밖에 나서 쫓겨나게 된다면, 두고두고 후회하게 될 거라는 차가운 이성이 발목을 잡아끄는 거였다.

nam king quotes

거짓과 상상
혹은
죄와 벌
남킹 장편소설
남킹 컬렉션 #002

# 남킹의 문장 #49

Nam King Quotes

나의 심장은 터질 듯 뛰어오르기 시작했고, 나의 오감은 극도로 예민하게, 샤워실에서 흘러나오는 소리에 반응하기 시작하는 거였다. 나는 첫사랑의 실연 이후 오랫동안 이성에 대한 욕망을 억눌러왔다. 사실 옷깃만 스쳐도 터져버릴 것만 같았던 욕정을 거의 초인적인 자제력으로 나의 이십 대를 넘긴 것이다.

그 이면에는 나의 신념도 한몫했다. 나는 육체적 끌림 이전에 친구처럼 편안하고 선한 여인과 넓은 호수 같은 사랑을 하고 싶었다. 나는 말벗이 필요했고 서로의 상처를 보듬어 줄 수 있는 바다 같은 애정을 갈구한 것이다. 그리고 나의 현실은, 육체적 욕구를 돈으로 풀 수 있는 형편도 아니었다. 고향에는 거동이 불편한 어머니가 계셨고 대학을 다니는 동생이 있었다.

nam king quotes

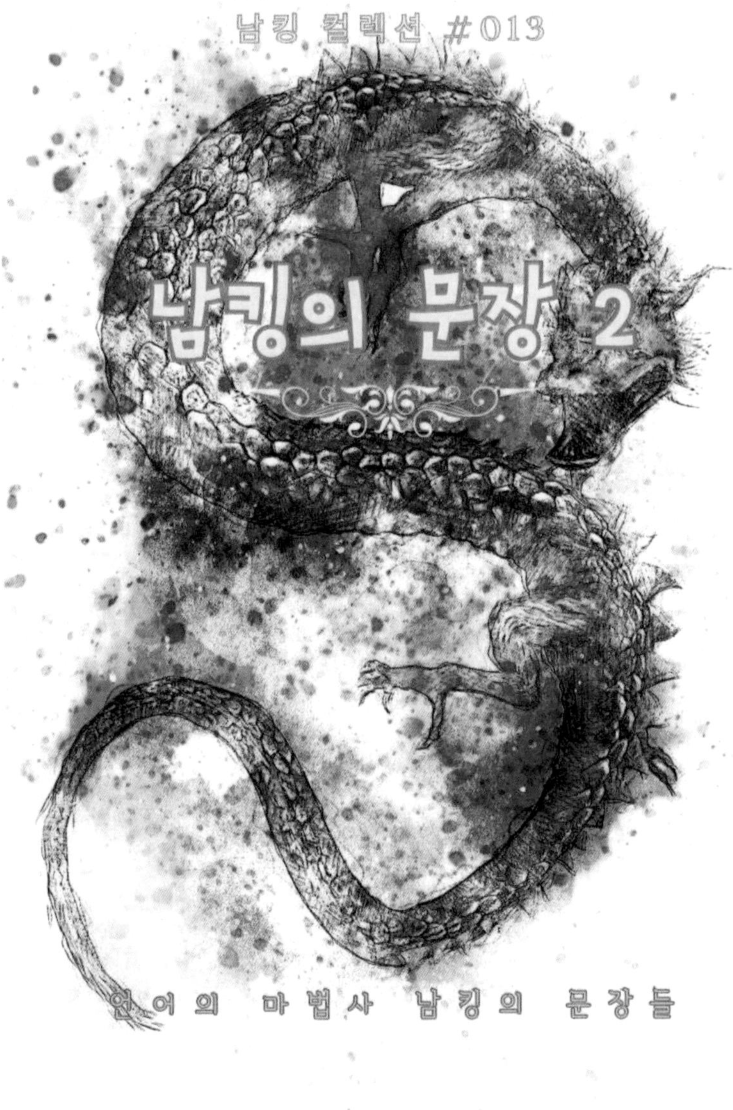

남킹 컬렉션 #013

# 남킹의 문장 2

언어의 마법사 남킹의 문장들

남킹 컬렉션 #018

# 천일의 여황제

## 세빈의 남자

남킹 판타지 소설

# 남킹의 문장 #50

Nam King Quotes

# 거리를 비워두세요

남킹 음악에세이

남킹 컬렉션 #020

퍼즐의 끝에는 상상도 못한 연결고리가 있다!

NAM KING
COLLECTION
#004

# 심해
# DEEP SEA

NAM
KING

남킹 SF 장편소설